Stéphanie de Turckheim

D1535073

# Moi, je lunch box toute l'année !

## Petits repas équilibrés à emporter

photographies : Isabelle Schaff

Tana
éditions

# Sommaire

# Moi, je lunch box toute l'année !

**A**ujourd'hui, la mode est à la lunch box et, dans les magasins, on en voit partout, de toutes les formes, tailles ou couleurs. Mais qu'est-ce que c'est et, surtout, à quoi ça sert ?

**L**unch box veut dire « boîte à déjeuner », donc un récipient dans lequel on transporte son repas. En général, la lunch box comporte plusieurs compartiments afin d'y mettre des aliments différents. Il en existe des carrées, des rondes, des rectangulaires, à étages... Si, par le passé, on emportait le plus souvent des sandwichs dans du papier d'aluminium, car c'était le plus simple et le plus pratique, aujourd'hui les choses ont bien changé. Le manque de temps, les nombreuses activités, le coût des repas, l'absence de cantine... font que les adultes comme les enfants apportent de plus en plus leur déjeuner sur leur lieu de travail ou à l'école. Et cela devient un peu le casse-tête chaque matin de savoir quoi emporter pour midi.

**P**our nous, les mamans, car ce livre est destiné aux enfants, c'est souvent encore plus compliqué. Premièrement, nos chères petites têtes blondes sont de plus en plus difficiles et exigeantes. Nos enfants n'aiment plus rien, ne veulent pas manger n'importe quoi et « exigent » quelque chose de différent tous les jours. Deuxièmement, l'industrie alimentaire invente tous les jours de nouveaux petits produits très attractifs et délicieux. Mais quoi choisir ? Et est-ce toujours bon ? Troisièmement, pour nous les mamans, il faut essayer de varier non-stop et de faire attention à ce qu'ils ingurgitent. Les problèmes de poids devenant inquiétants, on se « casse la tête » pour arriver à leur préparer des repas très équilibrés.

**J**'ai donc essayé de vous concocter des petites recettes assez simples et des menus variés. Il vous faudra toujours proposer aux enfants beaucoup de crudités à croquer, soit nature soit à tremper dans des dips à base de légumes ou de fromage blanc, de brousse ou de ricotta. En dessert, toujours donner des fruits avec autre chose. Et, surtout, ne jamais oublier que les aliments les plus simples sont les meilleurs !

# Mes petites potions faciles à transporter

# Printemps gourmand

PRÉPARATION : 5 MIN. • CUISSON : 10 MIN.

## INGRÉDIENTS

° 120 g de petits pois frais
° 80 g de brousse
  ou de chèvre frais
° 1 yaourt velouté
° 15 cl de lait frais
° 1 c. à c. de gingembre
  frais râpé
° 1 feuille de menthe
° 1 sachet de petites carottes
  ou 2 carottes
° Sel et poivre

## pour un repas complet

° Ajouter un petit sandwich jambon-fromage,
à préparer avec 2 tranches de pain de mie
complet beurrées, 1 tranche de jambon blanc
et 1 tranche d'emmental.
° Ou un muffin au parmesan, aux olives noires,
aux tomates séchées et au jambon fumé
(page 37).
° Pour le dessert, proposer des fruits à croquer,
pommes, raisins, fraises et un petit carré
de chocolat aux noisettes.

## SMOOTHIE DE PETITS POIS
## AU GINGEMBRE ET CROQUE-CAROTTE

*1* Porter à ébullition de l'eau avec un peu de sel dans une casserole.
Ajouter les petits pois et laisser cuire pendant une dizaine de minutes.
Si vous voulez qu'ils restent bien verts, ajouter 1 pincée de bicarbonate.

*2* Les égoutter et les rafraîchir sous l'eau froide. Verser le fromage frais,
le yaourt, le lait, un peu de gingembre râpé, la feuille de menthe dans
la cuve d'un mixeur puis saler et poivrer légèrement.

*3* Mixer jusqu'à l'obtention d'un mélange bien lisse et homogène.
Attention, les enfants n'aiment pas trop les morceaux !

*4* Goûter et rectifier l'assaisonnement.

*5* Mettre au frais et surtout consommer dans la journée. Accompagner
de petites carottes en sachet, ou éplucher et couper 2 carottes en bâtonnets.

*a juce*

Pour un smoothie sans fromage :
vous pouvez remplacer
le fromage frais, brousse
ou chèvre frais, par du
fromage blanc épais
ou de la faisselle que
vous aurez bien égouttée.

# Délice salé tout rose

PRÉPARATION : 5 MIN. • CUISSON : AUCUNE

## INGRÉDIENTS

- 2 betteraves cuites bio
- 1 chèvre frais Petit Billy
- 2 faisselles de chèvre
  + petit-lait
- 1 poignée de persil plat frais
- 2 tranches de pain de seigle
  ou de pain de mie complet
- 15 g de beurre
- 1 c. à c. de gomasio
  (sel au sésame)
- Sel et poivre

## *astuce*

Rajouter dans la cuve du mixeur
une belle poignée de persil.
C'est joli à l'œil et cela va
très bien avec la betterave.

## SMOOTHIE DE BETTERAVE AU CHÈVRE FRAIS ET FRITES DE PAIN AROMATISÉES

1 Éplucher puis couper les betteraves en quatre et les mettre dans la cuve d'un mixeur. Ajouter le chèvre frais, les faisselles ainsi que le petit-lait, le persil et un peu de sel et de poivre. Bien mixer afin d'obtenir un mélange lisse et homogène.

2 Réserver au frais.

3 Faire griller le pain dans un grille-pain. Il doit être croquant.

4 Tartiner les tranches de beurre et saupoudrer de gomasio.

5 Couper en tranches fines pour faire comme des frites.

6 Déguster avec le smoothie.

### pour un repas complet

● Préparer des cuisses de poulet panées, c'est facile et délicieux. Il faut 1 cuisse par enfant, 2 c. à s. de moutarde, 2 c. à s. de chapelure, du sel et du poivre. Badigeonner les cuisses de poulet de moutarde puis les rouler dans la chapelure. Allumer le four sur gril et faire cuire pendant une bonne dizaine de minutes de chaque côté.

● Pour le dessert, proposer une petite salade de banane et de kiwi au jus de citron vert et des cookies aux flocons d'avoine (page 87)

## SMOOTHIE AUX ÉPINARDS
## POUR ÊTRE AUSSI FORT QUE POPEYE

**1** Laver et sécher les feuilles d'épinard. Couper les plus grosses tiges.

**2** Laver la mangue, la peler puis enlever le noyau.

**3** Mettre la mangue, les feuilles d'épinard et la menthe dans un mixeur et réduire en purée.

**4** Ajouter les glaçons et un peu d'eau si c'est trop dense et velouté.

**5** Goûter et ajouter le vinaigre puis poivrer légèrement.

**6** Goûter à nouveau et rectifier l'assaisonnement si nécessaire.

### INGRÉDIENTS

- 150 g de feuilles d'épinard fraîches
- 1 mangue
- 2 ou 3 feuilles de menthe
- 1 c. à s. de vinaigre balsamique
- 1 pincée de poivre
- 5 glaçons

### pour un repas complet

- Acheter des pains aux graines à grignoter et à tremper dans le smoothie.
- Proposer des œufs durs ou des petits œufs de caille à déguster avec une mayonnaise à l'huile d'olive, et des morceaux de fromage à pâte dure.
- En dessert, préparer un riz au lait nature ou avec un peu de compote ou de confiture.

Acheter sur le marché
des feuilles ou des pousses
d'épinard tout juste
récoltées.

# Un concentré à l'italienne

PRÉPARATION : 5 MIN. – CUISSON : 30 MIN.

**INGRÉDIENTS**
- 1 oignon
- 2 gousses d'ail
- 2 c. à s. d'huile d'olive
- 750 g de tomates
- 2 c. à s. de basilic
- 1 c. à c. de sucre en poudre
- Tabasco
- 1 paquet de gressins
- Sel et poivre

*astuce*

Utiliser des tomates
pelées en boîte
ou un coulis bio.

## VELOUTÉ DE TOMATES ÉPICÉ ET GRESSINS

**1** Peler et couper l'oignon en fines lamelles.
Faire de même avec les gousses d'ail.
**2** Chauffer une poêle avec l'huile d'olive et y faire revenir
l'oignon et l'ail. Mélanger car il ne faut pas que cela accroche.
**3** Passer les tomates sous l'eau bouillante afin de les peler
plus facilement. Les couper en quatre et enlever les pépins.
Les ajouter au mélange précédent et couvrir d'eau.
Ajouter le basilic puis le sucre pour que cela
ne soit pas trop acide.
**4** Laisser cuire pendant une trentaine de minutes.
**5** Laisser refroidir puis mettre le tout dans un mixeur.
**6** Mixer et goûter avant de rajouter un peu de tabasco,
du sel et du poivre, puis réserver au frais.
**7** Servir avec des gressins.

*pour un repas complet*

- Enrober les gressins de tranches de fromage (gouda, emmental…) et de jambon cru, ou préparer des boulettes de viande à la menthe (page 65).
- Pour le dessert, préparer un fromage blanc avec des fruits frais et rajouter des noisettes, des raisins secs et des pistaches grillées.

## MILK-SHAKE AU CONCOMBRE
## « À LA GRECQUE » ET AU RADIS

**1** Peler le concombre et le couper en morceaux.
**2** Laver puis sécher les feuilles de menthe.
**3** Mettre le tout dans un mixeur puis ajouter
la moutarde forte, le vinaigre de miel, le yaourt
et le lait.
**4** Saler et poivrer légèrement.
**5** Mixer bien puis goûter pour rectifier
l'assaisonnement.
**6** Laver puis préparer les radis.
**7** Servir bien frais avec quelques radis.

### astuce

Faire un milk-shake 100 % brebis
en remplaçant le lait de vache par
du lait de brebis et le yaourt par
un yaourt de brebis. Tout cela
se trouve dans les rayons bio
des grands magasins.

### INGRÉDIENTS
- 1 petit concombre
- 2 feuilles de menthe
- 1 c. à c. de moutarde forte
- 1 c. à s. de vinaigre de miel
- 1 yaourt velouté
- 20 cl de lait
- 1 botte de radis
- Sel et poivre

## pour un repas complet

- Préparer une **salade de tomates**, avec
de la feta et des olives noires, arrosée d'huile d'olive.
- Préparer des **chaussons à la grecque** en mettant
dans des feuilles de brick coupées en bandes larges
une c. à c. de viande d'agneau mélangée à des oignons,
une pincée de cannelle, de clou de girofle, de noix muscade
et un filet d'huile d'olive. Cuire de 7 à 10 minutes.
- Pour le dessert, proposer un **fromage blanc au miel**
ainsi que des fruits frais.

# Soleil d'automne

## INGRÉDIENTS
- 1 tranche de potimarron
- 1 c. à s. de marrons
  ou 3 c. à s. de purée de marrons
- 1 capsule de cardamome
- 1 petit pot de crème épaisse
- Gros sel
- Sel et poivre

## VELOUTÉ DE POTIMARRON À LA CARDAMOME

1 Retirer les pépins de la tranche du potimarron. N'enlever pas la peau mais les impuretés s'il y en a et la couper en petits morceaux.

2 Faire bouillir de l'eau avec 1 pincée de gros sel et y jeter les morceaux. Quand ils sont tendres, verser un peu de bouillon dans un verre puis les égoutter.

3 Mettre la chair de potimarron, les châtaignes ou la purée, les graines de cardamome et la crème dans un mixeur et mixer.

4 Saler puis poivrer un peu.

5 Goûter pour rectifier l'assaisonnement.

## astuces

- Remplacer la cardamome par de la noix de muscade.
- Varier les sortes de courges et parfumer avec un peu de curry.

## pour un repas complet

• Préparer une quiche lorraine avec des lardons fumés.
Garnir un moule de pâte feuilletée. Casser 4 œufs dans un bol,
ajouter 25 cl de crème fraîche, 1 grand verre de lait et battre
au batteur électrique. Ajouter de la noix muscade puis 1 sachet
de gruyère râpé (125 g). Verser sur la pâte et faire cuire
au four à 210 °C pendant 40 minutes.

• Préparer des brochettes de fruits pour le dessert.

# Jardin d'été

PRÉPARATION : 5 MIN. • CUISSON : 10 MIN.

## VELOUTÉ DE COURGETTES AU CHÈVRE

*1* Couper les courgettes en rondelles et les faire cuire
pendant 10 minutes dans de l'eau bouillante salée.
*2* Les égoutter et attendre qu'elles refroidissent.
*3* Les mettre dans un mixeur et ajouter le chèvre frais,
la pincée de noix muscade et le filet d'huile d'olive.
*4* Mixer pour que cela soit homogène puis goûter, saler et poivrer.

### INGRÉDIENTS
○ 3 courgettes
○ 1/2 chèvre frais
○ 1 pincée de noix muscade
○ 1 filet d'huile d'olive fruitée
○ Sel et poivre

## astuces

● Pour varier, remplacer la noix muscade
par du cumin.
● Préférer les petites courgettes,
elles ont plus de goût.
● Varier également les sortes : courgettes
jaunes, courgettes rondes, etc.

## pour un repas complet

- Acheter un pain de campagne et faire de grandes tartines beurrées, avec du jambon et des cornichons.
  - Faire des financiers aux pommes granny-smith (page 93)
  - En dessert, des fraises à tremper dans du miel et des pépites au chocolat.

# 100 % végétal

## MILK-SHAKE VÉGÉTAL À LA COURGETTE

**1** Couper les courgettes en rondelles sans
les éplucher si la peau est fine.
**2** Faire bouillir de l'eau avec 1 pincée de sel
et y mettre les courgettes. Faire cuire pendant 10 minutes,
les égoutter et attendre qu'elles refroidissent.
**3** Mettre les courgettes dans un mixeur
avec la coriandre et verser la crème d'amande.
**4** Bien mixer, saler, poivrer et ajouter
les graines de sésame grillées.
**5** Mettre au frais.

*astuces*

○ Varier les laits végétaux, essayer
avec du lait de riz ou du lait de soja.
○ Utiliser de la menthe fraîche ou
du persil plat à la place de la coriandre.

### INGRÉDIENTS

○ 3 courgettes
○ 2 c. à s. de coriandre
○ 1 briquette de crème d'amande « Mandorle »
○ 1 c. à s. de graines de sésame grillées
○ Sel et poivre

## pour un repas complet

- Faire une grande omelette avec des pommes de terre et 1 pincée de curry. La couper en cubes, à piquer sur une brochette ou à glisser dans du pain frais ou une tortilla.
- Pour le dessert, proposer un financier aux pommes granny-smith (page 93) ou une tartelette à la confiture (page 89).

## MILK-SHAKE À L'AVOCAT ET AU SURIMI

**1** Retirer la peau de l'avocat, le couper en deux afin d'enlever le noyau. Mettre la chair dans un mixeur.

**2** Presser le jus du citron vert et l'ajouter dans le mixeur.

**3** Ajouter les feuilles de menthe, le Tabasco et le lait fermenté.

**4** Bien mixer pour que le mélange soit homogène.

**5** Goûter afin de saler et poivrer.

**6** Déguster bien frais.

**7** Faire trempette avec le surimi.

### INGRÉDIENTS

- 1 avocat
- 1 citron vert
- 2 feuilles de menthe
- 1 c. à c. de Tabasco
- 25 cl de lait fermenté
- 1 paquet de surimi en bâtonnets
- Sel et poivre

### astuce

Jouer avec les herbes et essayer avec du basilic, du cerfeuil ou de la coriandre.

## pour un repas complet

- Préparer une salade de riz complet avec du thon, des œufs, des tomates, des poivrons, des olives et du pamplemousse.
- Pour le dessert, proposer une compote de fruits et des petits gâteaux.

# Fraîcheur absolue

PRÉPARATION : 5 MIN. • CUISSON : AUCUNE

## MILK-SHAKE AU BASILIC

*1* Laver et sécher les feuilles
de basilic.
*2* Mettre tous les
ingrédients dans un mixeur et
mixer jusqu'à l'obtention d'un
mélange homogène.
*3* Goûter et rectifier l'assaisonnement.

**INGRÉDIENTS**
- 4 ou 5 feuilles de basilic frais
- 3 c. à s. de brousse
- 20 cl de lait frais
- Sel et poivre

### astuces

- Faire la même recette mais avec du
cerfeuil, de la coriandre ou de la menthe.
- Ajouter une boule de glace au yaourt
à la place de la brousse.

bon appétit
maman

## pour un repas complet

○ Préparer un cake salé avec du jambon fumé, des tomates séchées et des olives noires. Pour un petit cake, il faudra 60 g de jambon fumé, 50 g de tomates séchées et 50 g d'olives noires. Mettre 110 g de farine avec levure, 2 œufs, 3 c. à s. de lait et 3 c. à s. d'huile d'olive dans un bol. Mélanger afin d'obtenir une pâte lisse. Ajouter les autres ingrédients coupés en petits morceaux. Verser dans un moule à cake et faire cuire au four à 180 °C pendant 40 minutes.

○ Pour le dessert, proposer une salade de fruits jaunes, pêches et abricots, et/ou un laitage.

Le pain,
c'est divin

# Un petit air de Hollande

## MUFFINS AU GOUDA ET AU CUMIN

*1* Couper le gouda en petits cubes. Verser la farine dans un saladier, ajouter le sel, les cubes de gouda et le cumin. Bien mélanger.

*2* Préchauffer le four à 180 °C.

*3* Battre l'œuf avec le lait dans un bol puis l'ajouter au mélange précédent. Bien mélanger.

*4* Faire fondre doucement le beurre dans une casserole puis l'ajouter à la préparation tout en remuant bien.

*5* Beurrer des moules à muffins et les remplir à moitié de pâte.

*6* Faire cuire au four pendant 15 minutes.

### INGRÉDIENTS
- 100 g de gouda
- 190 g de farine avec levure
- 1 c. à s. de graines de cumin
- 1 œuf
- 12,5 cl de lait
- 60 g de beurre amolli
- 1 pincée de sel

## pour un repas complet

- Utiliser les muffins comme des petits pains et les couper en deux afin d'y rajouter 1 tranche de rôti de porc et un peu de confiture d'oignons. Ou les servir avec des tranches de dinde fumée et des petites tomates cerises.
- En dessert, proposer des fruits et un laitage ou un milk-shake au Nutella (page 75).

## astuce

Utiliser du gouda orange
pour la couleur, les enfants adorent.
Il existe du gouda déjà parfumé au cumin.

# À l'italienne

PRÉPARATION : 5 MIN. ○ CUISSON : AUCUNE

## PAN-BAGNAT AUX TOMATES CONFITES, À LA ROQUETTE, À LA RICOTTA ET À LA PANCETTA

*1* Couper le pan-bagnat en 2 tranches égales.
*2* Tartiner toute la surface du demi-pain de ricotta, ajouter la roquette, l'huile d'olive et un peu de poivre.
*3* Disposer les tomates confites, coupées en deux si elles sont trop grandes, et la pancetta.

### INGRÉDIENTS
○ 1 pain rond pour pan-bagnat
○ 2 c. à s. de ricotta
○ 1 poignée de roquette
○ 1 filet d'huile d'olive
○ 4 ou 5 tomates confites
○ tranches de pancetta
○ Poivre

## pour un repas complet

○ Emporter des petits concombres, des radis et des branches de fenouil.
○ En dessert, proposer une crème de fruits ou une trempette de fruits dans du fromage blanc ou du yaourt sucré et vanillé.

## astuce

Remplacer les tomates confites par des artichauts confits et la ricotta par de la brousse.

# Onctuosité et fraîcheur

## PAIN DE MIE AU GUACAMOLE ET AU JAMBON

*1* Aplatir le pain de mie à l'aide d'un rouleau à pâtisserie.
*2* Détailler le poivron en fines lamelles et couper la tomate en tranches fines.
*3* Sur la tranche de pain, mettre la feuille de salade, les lamelles de poivron, les tranches de tomate et l'huile d'olive.
*4* Ajouter le guacamole et la tranche de jambon.

### INGRÉDIENTS

- 2 tranches de pain de mie
- ½ poivron doux
- 1 tomate
- 1 feuille de laitue
- 1 filet d'huile d'olive
- 2 c. à c. de guacamole
- 1 tranche de jambon

## astuces

- Faire le guacamole en mixant la chair d'un avocat avec un jus de citron et en y ajoutant un peu de Tabasco.
- Varier les jambons : à l'os, au torchon, aux herbes…

*pour un repas complet*

○ Préparer un jus de fruits et de légumes, bien frais. Passer 1 pomme et 2 carottes dans une centrifugeuse. Ajouter le jus de 1 citron et 1 pincée de sucre pour l'acidité.

○ Pour le dessert, servir un flan avec des cookies.

# À l'anglaise, mais salé

## MUFFIN AU PARMESAN, AUX OLIVES NOIRES, AUX TOMATES SÉCHÉES ET AU JAMBON FUMÉ

*1* Couper les olives noires, les tomates séchées et le jambon fumé en petits morceaux.

*2* Laver et sécher le romarin puis le ciseler.

*3* Mettre la farine dans un saladier, ajouter le sel, les olives, les tomates, le jambon, le romarin et le parmesan. Bien mélanger.

*4* Préchauffer le four à 180 °C.

*5* Battre l'œuf avec le lait dans un autre récipient et l'ajouter au mélange précédent. Mélanger.

*6* Faire fondre très doucement le beurre dans une casserole puis l'ajouter au mélange en remuant bien. Garnir des petits moules à muffins et faire cuire au four pendant 15 minutes.

## pour un repas complet

○ Préparer un assortiment de crudités et de fruits, carottes et concombre en bâtonnets, radis, feuilles de salade croquantes, pommes granny-smith, figues fraîches, et quelques petites sauces à base de fromage blanc pour faire des trempettes moelleuses et rafraîchissantes.
○ En dessert, proposer une mousse au citron.

### INGRÉDIENTS

○ 30 g d'olives noires dénoyautées
○ 30 g de tomates séchées
○ 30 g de jambon fumé
○ 1 c. à s. de romarin frais
○ 190 g de farine avec levure
○ 20 g de parmesan
○ 1 œuf
○ 12,5 cl de lait
○ 60 g de beurre amolli
○ 1 pincée de sel

# Roulé à la libanaise

## INGRÉDIENTS

- 1 blanc de poulet
- 1 feuille de laurier
- Herbes de Provence
- 1 c. à s. de vinaigre
- 3 c. à s. de hoummos
- 1 tortilla souple au blé
- 2 c. à s. de petites tomates confites
- 2 c. à s. d'aubergines confites
- 1 poignée de salade
- Sel et poivre

## WRAP AU POULET, AU HOUMMOS ET À L'AUBERGINE CONFITE

1 Cuire le blanc de poulet pendant une dizaine de minutes dans un petit bouillon d'herbes fait avec la feuille de laurier, des herbes de Provence, 1 pincée de sel et de poivre et le vinaigre.

2 Attendre que le blanc de poulet refroidisse et le couper en lamelles.

3 Étaler le hoummos sur la tortilla, ajouter les lamelles de poulet, les tomates confites et les aubergines confites.

4 Rajouter un peu de salade et bien rouler la tortilla.

5 Entourer la tortilla de film alimentaire ou de papier d'aluminium.

## pour un repas complet

◦ En entrée, proposer une salade de concombre
à la menthe et au yaourt ou faire un milk-shake
au concombre « à la grecque » et au radis (page 17).
◦ Pour le dessert, servir un fromage blanc
à la vanille et des fruits à croquer.

## astuces

◦ Remplacer les tomates confites
par des tomates fraîches
et ajouter un peu de salade.
◦ Lorsque vous roulez le wrap,
bien le serrer.

# La Méditerranée dans les mains

PRÉPARATION : 5 MIN. ○ CUISSON : AUCUNE

## PAN-BAGNAT AU CAVIAR D'AUBERGINE, À LA MOZZARELLA ET AU JAMBON FUMÉ

1 Couper le pan-bagnat en 2 tranches égales.
2 Couper la mozzarella en fines lamelles.
3 Enlever le gras du jambon fumé.
4 Recouvrir 1 tranche de pain d'une bonne couche de caviar d'aubergine, ajouter le mesclun, le jambon fumé puis la mozzarella.
5 Verser l'huile d'olive et parsemer de basilic frais.
6 Poivrer puis recouvrir avec l'autre moitié du pain.

### INGRÉDIENTS
○ 1 pain rond pour pan-bagnat
○ 2 c. à s. de caviar d'aubergine
○ 1/2 boule de mozzarella
○ 1 tranche fine de jambon fumé
○ 1 petite poignée de mesclun
○ 1 c. à s. de basilic frais
○ 1 filet d'huile d'olive
○ Poivre

## pour un repas complet

Proposer des petites portions
individuelles de fromage
et des fruits, ou bien préparer
un petit coulis de fruits frais
simplement mixé avec du
sucre et du citron pour
accompagner
un yaourt ou un
fromage blanc.

## variantes

• Utiliser de la feta
à la place de la
mozzarella
et de la tapenade
à la place du caviar
d'aubergine.
• Si le pain vous paraît
trop épais, enlever
un peu de mie.

# Vision nordique

PRÉPARATION : 20 MIN. ○ CUISSON : 3 MIN.

## PANCAKE AU CREAM CHEESE (KIRI), AU SAUMON FUMÉ ET AU CITRON

*1* Faire la pâte des pancakes. Mettre la farine dans un saladier. Faire fondre 10 g de beurre à feu doux, il ne doit pas devenir noisette. Battre l'œuf et le lait dans un petit bol puis y ajouter le beurre fondu. Bien mélanger et verser ce mélange dans la farine. Saler et poivrer puis mélanger jusqu'à l'obtention d'une pâte lisse et homogène. Faire chauffer une poêle avec le reste de beurre et y déposer une petite louche de pâte. Faire cuire pendant 3 minutes environ de chaque côté. Recommencer l'opération.

*2* Couper le citron en deux et détailler 1 moitié en fines rondelles.

*3* Préparer le sandwich, étaler le Kiri sur toute la surface du pancake.

*4* Ajouter le saumon, les feuilles d'épinard, un peu de jus de citron et du poivre.

*5* Recouvrir avec un autre pancake.

### INGRÉDIENTS
- 70 g de farine avec levure
- 15 g de beurre
- 1 œuf
- 10 cl de lait
- 1 citron
- 1 ou 2 Kiri
- 1 grande tranche de saumon fumé
- 2 ou 3 feuilles d'épinard
- Sel et poivre

## astuce

Remplacer les pancakes
par des blinis et le saumon
par de la truite fumée.

### pour un repas complet

∘ Couper en tranches fines 1 radis noir, à croquer
avec un peu de sel de mer.
∘ Faire un milk-shake au basilic (page 27). Pour rester
dans l'esprit nordique, le faire à l'aneth. En dessert, proposer
un yaourt aux fruits.

# Bouchées sucrées salées

PRÉPARATION : 20 MIN. ○ CUISSON : 3 MIN.

## INGRÉDIENTS
- 70 g de farine avec levure
- 2 c. à s. de ciboulette ciselée
- 15 g de beurre
- 1 œuf
- 10 cl de lait
- 1 pomme verte de type granny-smith
- Le jus de 1 citron
- 1 c. à s. de ricotta
- 1 c. à c. de raifort
- 1 grande tranche de truite fumée
- Sel et poivre

astuces

À la place de la ciboulette, mettre du persil.
Le carré frais « Gervais » nature ou les carrés de fromage frais aux fines herbes peuvent remplacer la ricotta.

## PANCAKE À LA CIBOULETTE, AU RAIFORT, AUX POMMES VERTES ET À LA TRUITE FUMÉE

1 Faire la pâte des pancakes. Mettre la farine dans un saladier. Ajouter la ciboulette. Faire fondre 10 g de beurre à feu doux, il ne doit pas devenir noisette. Battre l'œuf et le lait dans un petit bol puis y ajouter le beurre fondu. Bien mélanger et verser ce mélange dans la farine. Saler et poivrer puis mélanger jusqu'à l'obtention d'une pâte lisse et homogène. Faire chauffer une poêle avec le reste de beurre et y déposer une petite louche de pâte. Faire cuire pendant 3 minutes environ de chaque côté. Recommencer l'opération.

2 Couper la pomme en fines lamelles et les mettre dans un bol.

3 Verser le jus de citron et bien mélanger, car il ne faut pas que les lamelles de pomme s'oxydent et deviennent brunes.

4 Mélanger la ricotta avec le raifort dans un bol et poivrer un peu.

5 Étaler ce mélange sur le pancake, ajouter la tranche de truite fumée et les lamelles de pomme.

## pour un repas complet

- Préparer une petite salade de mesclun et de tomates cerises. Faire une sauce ultrasimple avec le jus de 1 citron et 1 filet d'huile d'olive.
- En dessert, proposer un yaourt et des fruits à croquer.

# Classique mais délicieux

### PAIN DE MIE COMPLET, RÔTI DE PORC, CHUTNEY

**1** Aplatir les tranches de pain de mie à l'aide d'un rouleau à pâtisserie.
**2** Beurrer le pain, ajouter les carottes, la salade et l'huile d'olive.
**3** Ajouter les tranches de filet de porc puis le chutney.
**4** Recouvrir de l'autre tranche de pain.

#### INGRÉDIENTS

- 2 tranches de pain de mie complet
  (son, blé complet, céréales...)
- 1 c. à c. de beurre doux
- 2 c. à s. de carottes râpées
- 2 feuilles de salade croquante
- 1 filet d'huile d'olive (facultatif)
- 2 tranches fines de rôti de porc
- 2 c. à s. de chutney doux aux fruits

### pour un repas complet

- Faire une petite salade de billes de tomate et de billes de mozzarella.
- En dessert, une panacotta avec un coulis de fruits et quelques fruits à croquer.

## astuce

Remplacez le chutney par de la confiture
d'oignons ou simplement par de la moutarde
douce. L'idée est de rendre le sandwich
moelleux.

# Dînette de fille

## WRAP AU TARAMA,
## À L'AVOCAT ET AUX CREVETTES

*1* Couper l'avocat en fines lamelles et le citronner pour qu'il ne s'oxyde pas.
*2* Étaler le petit-suisse sur la tortilla, ajouter les lamelles d'avocat,
recouvrir de tarama puis ajouter les crevettes.
*3* Replier en serrant bien.
*4* Déguster bien froid.

## astuces

◦ Amusez-vous avec les couleurs,
utiliser du saumon (orange),
des œufs de lompe rouge et noir.
◦ Varier les tortillas, utiliser aussi
le pain polaire, le pain libanais…

### INGRÉDIENTS
◦ 1 avocat
◦ Le jus de 1 citron
◦ 1 petit-suisse
◦ 1 tortilla souple de blé
◦ 1 petit pot de tarama
◦ 2 c. à s. de crevettes

## *pour un repas complet*

◦ Servir une petite salade de pommes crues
et de carottes râpées dans laquelle vous
ajouterez le jus de 1 citron.
◦ En dessert, un petit pot
de semoule au lait
entier (page 79).

# Délices tout en un

# Petit jardin en bocal

PRÉPARATION : 10 MIN. ○ CUISSON : 10 MIN.

## PÂTES AUX LÉGUMES CROQUANTS ET FETA

1 Faire cuire les pâtes selon les indications du paquet.
2 Faire bouillir de l'eau avec 1 pincée de sel et y mettre le chou-fleur violet et la courgette coupée en petits cubes. Faire cuire pendant 5 minutes, les légumes doivent rester croquants.
3 Couper les tomates en deux, la feta en cubes, et ciseler le basilic.
4 Mettre le tout dans un saladier et ajouter l'huile d'olive puis saler et poivrer.
5 Goûter puis ajouter le filet de vinaigre balsamique.

### INGRÉDIENTS
○ 50 g de pâtes complètes
○ 2 bouquets de chou-fleur violet
○ 1 petite courgette
○ 5 tomates cerises
○ 25 g de feta
○ 3 feuilles de basilic
○ 2 c. à s. d'huile d'olive
○ 1 filet de vinaigre balsamique
○ Sel et poivre

## pour un repas complet

∘ Emporter des petits jus de légumes bien frais
pour l'entrée.

∘ En dessert, une banane
et un petit pot de sirop
d'érable afin que l'on puisse
la tremper dedans.

# Taboulé des mers

## INGRÉDIENTS
- 80 g de quinoa
- 2 c. à s. de raisins secs
- 1 pamplemousse
- 2 tranches de truite fumée
- 2 c. à s. de noisettes en poudre

## POUR LA VINAIGRETTE
- 1 c. à c. de raifort
- Le jus de 1 citron
- 2 c. à s. d'huile d'olive
- 1 c. à s. de persil ciselé finement
- Sel et poivre

## pour un repas complet
- En entrée, proposer un milk-shake à l'avocat et/ou des petits légumes à croquer.
- Pour le dessert, servir une crème aux œufs et un fruit.

## SALADE DE QUINOA AU PAMPLEMOUSSE ET À LA TRUITE FUMÉE

1 Faire cuire le quinoa selon les indications du paquet.
2 L'égoutter et attendre qu'il refroidisse.
3 Mettre les raisins dans de l'eau bouillante pour qu'ils gonflent.
4 Préparer le pamplemousse en coupant la peau à vif à l'aide d'un couteau de façon à pouvoir enlever facilement les quartiers. Réserver sur une assiette.
5 Couper la truite fumée en petits morceaux.
6 Préparer la vinaigrette en mélangeant les ingrédients dans l'ordre donné.
7 Ajouter le quinoa, les morceaux de truite fumée, le pamplemousse, les raisins égouttés et les noisettes.
8 Mélanger bien puis goûter afin de rectifier l'assaisonnement.

# Rouleaux au fromage

## INGRÉDIENTS

- 1 chèvre frais de type Petit Billy
- 1 petit pot de tapenade
- 1 petit pot de caviar de légumes
- 2 cannelloni
- 1 c. à c. d'huile d'olive
- 2 belles feuilles de salade

## CANNELLONI AU CHÈVRE FRAIS, À LA TAPENADE ET AU CAVIAR DE LÉGUMES

**1** Écraser le chèvre frais dans un bol et y ajouter un peu de tapenade et de caviar de légumes.

**2** Bien mélanger puis goûter. Rectifier en fonction du goût des enfants, certains aimeront fort en légumes et d'autres un peu moins.

**3** Faire cuire les cannelloni dans de l'eau bouillante salée selon les indications du paquet. Les sortir de l'eau délicatement pour ne pas les casser et attendre qu'ils refroidissent. Les huiler légèrement puis les farcir du mélange chèvre-légumes.

**4** Enrouler chaque cannelloni dans 1 feuille de salade.

## pour un repas complet

○ Un petit jus de fruits et légumes,
et/ou des tranches de jambon coupées finement.
○ Une salade de fruits frais.

### astuce

Préparer aussi une version
simple avec juste du chèvre
frais légèrement poivré.

# Crabe en boîte

PRÉPARATION : 10 MIN. ○ CUISSON : 50 MIN.

## CRABE CAKE

1 Préchauffer le four à 160 °C.
2 Mettre le pain et le lait dans un bol.
3 Battre les œufs dans un autre bol.
4 Quand le pain a absorbé tout le lait et
qu'il est ramolli, ajouter le beurre, les œufs,
la ciboulette et le crabe.
5 Saler puis poivrer.
6 Mélanger bien le tout et verser dans un moule
en silicone.
7 Faire cuire au bain-marie pendant 1 heure environ.
8 Vérifier la cuisson en piquant un couteau dedans.

### INGRÉDIENTS
- ½ petit pain
- 1 petit verre de lait
- 3 œufs
- 2 c. à s. de beurre amolli
- 2 c. à s. de ciboulette ciselée
- 1 boîte de crabe
- Sel et poivre

## astuce

Vous pouvez
remplacer le crabe
par du thon ou du saumon.

## *pour un repas complet*

- En entrée, préparer un velouté,
un milk-shake ou un smoothie .
Les crudités sont toujours bienvenues, car cela
croque et c'est rafraîchissant.
- En dessert, proposer une semoule
à la vanille et des fruits.

# Canard à l'orange

## INGRÉDIENTS
- 1 orange
- 1 poignée de mesclun
- 2 ou 3 rattes
- 1 c. à c. de moutarde
- 1 c. à s. d'huile d'olive
- 4 tranches de magret fumé
- Petits pains aux graines
- Sel et poivre

## astuce

Faire la même chose dans un pamplemousse.

## pour un repas complet

○ Préparer en entrée des petites tomates cerises avec quelques boules de mozzarella, 1 filet d'huile d'olive et du basilic.
○ En dessert, servir un crumble de fruits. Mettre 1 pomme et 1 poire coupées en petits morceaux dans un ramequin et parsemer d'un mélange égal de semoule, de beurre, de sucre en poudre et de farine. Saupoudrer de graines de vanille. Faire cuire au four à 160 °C pendant 20 minutes.

## ORANGE SURPRISE

**1** Couper l'orange en deux et la préparer comme un pamplemousse, c'est-à-dire en enlevant les quartiers. Garder le jus pour la vinaigrette.

**2** Laver puis bien essorer le mesclun.

**3** Faire cuire les rattes dans une casserole puis attendre qu'elles refroidissent.

**4** Mettre les quartiers d'orange, le mesclun et les rattes coupées en deux dans un bol.

**5** Préparer une petite vinaigrette avec le jus de l'orange, la moutarde et l'huile d'olive. Verser sur le mélange précédent et mélanger délicatement.

**6** Déposer la salade dans les 2 moitiés d'orange et ajouter les tranches de magret fumé.

**7** Saler puis poivrer légèrement.

**8** Déguster accompagné de petits pains aux graines.

# Potager croquant

PRÉPARATION : 10 MIN. ○ CUISSON : 12 MIN.

## BLÉ MULTICOLORE

1 Faire cuire le blé selon les indications du paquet puis l'égoutter et y verser 1 filet d'huile d'olive.
2 Faire cuire les petits pois dans de l'eau bouillante salée pendant 5 minutes.
3 Couper les poivrons en petits cubes et égoutter les petits pois.
4 Mettre tous les ingrédients dans un bol, ciseler le basilic et bien mélanger.
5 Faire une vinaigrette en suivant l'ordre des ingrédients.
6 Goûter pour rectifier l'assaisonnement.

### astuce

Pour une salade encore plus gourmande, ajouter des petits œufs de caille.

### INGRÉDIENTS
- 80 g de blé
- Huile d'olive
- 3 c. à s. de petits pois
- 1 tranche de poivron rouge
- 1 tranche de poivron jaune
- 1 tranche de poivron vert
- 1 poignée de pois gourmands
- 6 feuilles de basilic
- Mélange d'olives
- Sel

### POUR LA VINAIGRETTE
- Le jus de ½ orange
- Le jus de ½ citron
- 4 c. à s. de crème
- 1 c. à s. d'huile d'olive
- Sel et poivre

### pour un repas complet

- Emporter des tranches de jambon à l'os roulées comme des cigarettes et des petits fromages à grignoter.
- Pour le dessert, proposer un milk-shake au Nutella (page 75) ou un fromage frais à la confiture.

# Boîte gourmande

## INGRÉDIENTS

- 1 petit oignon
- 50 g de steak haché
- 1 c. à s. de menthe ciselée
- 1 pincée de cumin en poudre
- 1 filet d'huile d'olive
- Différentes sortes de moutarde
- 1 yaourt
- Sel et poivre

## BOULETTES DE VIANDE À LA MENTHE

**1** Couper l'oignon en très petits morceaux.

**2** Mettre le steak haché, l'oignon, la menthe ciselée, le cumin, 1 pincée de sel et de poivre dans un bol et mélanger à la fourchette. Il faut obtenir un mélange bien homogène.

**3** Faire ensuite des boulettes avec les mains en les roulant dans le creux de la paume.

**4** Chauffer une poêle avec l'huile et y faire cuire les boulettes.

**5** Servir les boulettes avec différentes moutardes ou du yaourt légèrement salé et poivré.

### pour un repas complet

- Préparer une salade de pommes de terre ou emporter des pitas remplis de caviar d'aubergine, de yaourt épais et de boulettes.
- Pour le dessert, un clafoutis et toujours des fruits.

# Poulet prisonnier

PRÉPARATION : 10 MIN. ○ CUISSON : 35 MIN.

## POULET AU CITRON EN GELÉE

1. Couper les blancs de poulet en petits morceaux.
2. Peler puis couper le concombre en rondelles.
3. Faire bouillir de l'eau (environ 1 litre) avec du sel dans une casserole et y jeter les morceaux de poulet et de concombre.
4. Ajouter le sachet de bouquet garni et laisser cuire de 30 à 35 minutes.
5. Retirer le sachet, verser le bouillon dans une casserole et y ajouter l'agar-agar. Faire cuire selon les indications du paquet.
6. Couper le citron en petits morceaux ou en rondelles fines.
7. Disposer les blancs de poulet avec quelques rondelles de concombre, de l'estragon et des rondelles de citron dans deux petits moules à cake, et verser dessus la gelée en mélangeant bien pour qu'elle se répande.
8. Mettre au frais pour que cela prenne.

### INGRÉDIENTS
- 4 blancs de poulet
- 1 concombre
- 1 sachet de bouquet garni
- 1 sachet d'agar-agar
  (ou 2 selon le paquet)
- 1 citron confit
- 1 bouquet d'estragon
- Sel

*astuce*

Préparer une petite sauce de type mayonnaise légère pour déguster avec le poulet.

## pour un repas complet

○ Préparer une petite salade
de lentilles brunes ou blondes
et faire une bonne vinaigrette.
○ En dessert, proposer des brochettes
de fruits et des petits gâteaux.

# Surprise...

## NEMS DE SALADE « À LA FRANÇAISE »

*1* Peler les pommes de terre et les écraser à la fourchette dans un bol.
*2* Ajouter le thon aux tomates, le Kiri, la ciboulette ciselée et bien mélanger.
On doit obtenir un mélange assez moelleux.
*3* Laver les feuilles de salade et les sécher avec de l'essuie-tout.
*4* Mettre une bonne cuillerée à soupe du mélange thon, pommes de terre
au centre de chaque feuille de salade puis les rouler et les replier.
*5* Ficeler chaque feuille avec 1 brin de ciboulette.

## variantes

○ Remplacer le thon par des miettes de crabe, des sardines
sans arêtes ou par des maquereaux.
○ Remplacer le Kiri par du fromage blanc épais.

### INGRÉDIENTS
- ○ 2 pommes de terre cuites
- ○ 1 boîte de thon aux tomates
- ○ 1 Kiri
- ○ 1 c. à s. de ciboulette ciselée
- ○ 2 ou 3 belles feuilles de laitue
- ○ 2 ou 3 brins de ciboulette

## astuce

Utiliser de grandes feuilles
de salade, mais surtout
ne pas trop les remplir pour
qu'elles ne se cassent pas.
Essayer de les ficeler avec
de la ciboulette ou des tiges
de persil ou de coriandre.

## pour un repas complet

- Couper 1 concombre en bâtonnets
et préparer un dip à l'avocat pour
faire trempette. Pour le dip, mixer 1 avocat
avec le jus de 1 citron vert, saler puis poivrer.
- Ajouter aux bâtonnets de concombre
des chips de légumes et des bâtonnets
de pain grillés et beurrés.
- En dessert, proposer une petite
tartelette, des petits gâteaux
et des fruits.

# Comme les grands

## BROCHETTES DE POLENTA

1. Verser le lait dans une casserole et le porter à ébullition.
2. Ajouter la polenta en pluie puis le parmesan.
3. Poivrer et ajouter la pincée de noix muscade.
4. Faire cuire pendant 5 minutes, jusqu'à ce que la polenta se décolle de la casserole.
5. Verser dans un plat rectangulaire et attendre que cela refroidisse.
6. Couper des petits cubes, ajouter 1 tomate et 1 demi-tranche de pancetta.
7. Faire tenir sur une pique en bois.
8. Répéter l'opération avec sept autres piques.

### INGRÉDIENTS
- 30 cl de lait frais
- 100 g de polenta
- 65 g de parmesan râpé
- 1 pincée de noix muscade
- 1 barquette de tomates cerises
- 4 tranches de pancetta
- Poivre

## variantes

- Remplacer la pancetta par du jambon fumé ou du jambon cru.
- Ajouter un bouillon cube dans le lait pour parfumer la polenta.

## astuces

∘ Profitez de cette recette pour faire découvrir de nouveaux légumes à vos enfants. En brochettes, ils aiment, alors faites un petit assortiment : chou-fleur, brocoli, betterave, céleri...

∘ Vous pouvez mélanger des brochettes au jambon avec des brochettes au saumon fumé ou à la truite fumée.

## pour un repas complet

∘ Couper en fils fins quelques légumes, carotte, pomme, betterave, à l'aide d'une mandoline. Arroser du jus de 1 citron et de 1 filet d'huile d'olive. Saler puis poivrer.

∘ En dessert, préparer un milk-shake à la fraise avec 150 g de fraises, 1 yaourt, 1 verre de lait frais et 1 pincée de sucre en poudre. Mettre le tout dans un blender et mixer.

# Petites
# « fins ou faims »
# sucrées

# Rêve chocolaté

PRÉPARATION : 5 MIN. ◦ CUISSON : AUCUNE

## INGRÉDIENTS
◦ 1 verre de lait frais demi-écrémé
◦ 3 c. à s. de Nutella
◦ 1 ou 2 boules de glace au yaourt

## MILK-SHAKE AU NUTELLA

**1** Mettre le lait et le Nutella dans un blender puis mixer.
Il faut que le Nutella se dissolve dans le lait.
**2** Ajouter ensuite la ou les boules de glace au yaourt et remixer.

## pour un repas complet

◦ Préparer une salade de pâtes de couleurs avec des tomates cerises, des poivrons, des olives noires, de l'estragon et du thon, ou des pâtes aux légumes croquants et à la feta (page 53).

## astuce

Remplacer la glace au yaourt
par de la glace aux noisettes,
à la vanille ou, pour
les vrais fans
de Nutella,
au Nutella !

# Un concentré d'énergie

PRÉPARATION : 30 MIN. • CUISSON : 15 MIN.

## COMPOTÉE DE FRUITS SECS À LA VANILLE

*1* Faire bouillir de l'eau et la verser dans un bol.
*2* Ajouter le sachet de thé et laisser infuser pendant quelques minutes.
*3* Enlever le sachet et ajouter les fruits secs.
*4* Laisser gonfler pendant une bonne trentaine de minutes.
*5* Verser le tout dans une casserole, ajouter la gousse de vanille fendue dans sa longueur et faire cuire pendant une quinzaine de minutes.
*6* Attendre que cela soit froid pour déguster.

## astuce

Cette recette est délicieuse avec une semoule ou du riz au lait, un yaourt ou du fromage blanc.

### INGRÉDIENTS
- 1 sachet de thé à la bergamote (earl grey)
- 1 bol de fruits secs : abricots, pruneaux, raisins
- 1 gousse de vanille

## pour un repas complet

- Préparer des boulettes de viande à la menthe (page 65), ajouter une petite salade de concombre au yaourt pour la fraîcheur et des feuilles de laitue ainsi que des bâtonnets de carotte.
- Accompagner la compote de faisselles ou ajouter des petits fromages.

# Douceur d'enfance

**INGRÉDIENTS**
- 15 g de sucre en poudre
- 50 cl de lait entier
- ½ gousse de vanille
- 50 g de semoule de blé fine

## SEMOULE AU LAIT ENTIER

1. Faire chauffer une poêle et y mettre le sucre.
Attendre qu'il fonde et que le caramel se forme.
2. Verser le caramel dans un pot dès qu'il obtient
une couleur dorée. Si l'on attend trop, il deviendra dur.
3. Faire chauffer 30 cl de lait avec la demi-gousse
de vanille fendue en deux. Remuer et faire en sorte
que les graines de vanille se diffusent dans le lait.
4. Quand le lait frémit, verser la semoule en pluie
et laisser cuire jusqu'à ce que les bords se détachent.
5. Ajouter en fin de cuisson le lait restant et remuer bien.
6. Verser sur le caramel.

## astuces

- L'été, rajouter des abricots bien mûrs, et l'hiver, des raisins secs
gonflés dans de l'eau chaude.
- Parfumer la semoule à la fleur d'oranger, à la cannelle
ou à la rose.

*pour un repas complet*

Préparer une petite assiette de jambons
et de fromages différents, des crudités en bâtonnets
et des tortillas ou des chips de légumes,
et un dip fait à base de fromage frais Gervais,
de thon et d'estragon.

# Tendresse parfumée

**INGRÉDIENTS**
- 2 pêches de vigne
- 2 abricots
- 1 c. à c. de miel toutes fleurs liquide
- 2 c. à s. de mascarpone

## CRÈME DE FRUITS JAUNES

1 Passer les pêches et les abricots sous l'eau chaude afin de les peler facilement.

2 Mettre les fruits dans un mixeur, ajouter le miel liquide et le mascarpone.

3 Mixer bien et goûter pour rajouter éventuellement un peu de miel.

*astuces*

○ Utiliser du sucre glace ou du sirop d'érable à la place du miel, et de la ricotta ou du fromage blanc à la place du mascarpone.

○ En hiver, utiliser des fruits pelés en boîte. Garder le jus pour sucrer et assouplir la crème mascarpone. Goûter avant de rajouter du sucre ou du miel.

*pour un repas complet*

- Un sandwich « bagel » avec du cream cheese,
du saumon, des œufs de saumon et 1 poignée
de mesclun arrosée de citron et d'huile d'olive.
- Une petite salade, par exemple la salade
de pâtes aux légumes croquants ou la salade
de quinoa au pamplemousse et à la truite fumée.

# 100 % chocolat

PRÉPARATION : 5 MIN. ∘ CUISSON : 8 MIN.

## PETITS POTS DE CRÈME AU CHOCOLAT

**1** Mettre le lait, le chocolat et le sucre dans une casserole. Porter doucement
à ébullition en mélangeant bien.

**2** Mélanger les jaunes d'œufs et la Maïzena dans un bol puis ajouter
un peu de lait chocolaté. Attention aux grumeaux, bien remuer avec un fouet.

**3** Verser le tout dans la casserole et remuer sans arrêt pendant 2 minutes.

**4** Verser dans des petits pots et laisser refroidir.

### INGRÉDIENTS
- 50 cl de lait
- 50 g de chocolat en morceaux
- 100 g de sucre en poudre
- 2 c. à s. de Maïzena
- 2 jaunes d'œufs

## pour un repas complet

- Une salade de riz au thon et aux légumes, une salade
de lentilles avec des dés de jambonneau et du persil.
- Des petites portions de fromage.
- Un petit jus de légumes et de fruits.

# Secret de maman

PRÉPARATION : 10 MIN. ⋄ CUISSON : AUCUNE

### INGRÉDIENTS
- 3 c. à s. de fromage blanc
- 1 c. à s. de crème épaisse
- 1 c. à c. de sucre vanillé

### COULIS ROUGE
- 50 g de fraises
- 50 g de framboises
- Le jus de ½ citron

### COULIS JAUNE
- 1 mangue
- Le jus de ½ citron

## pour un repas complet

- Proposer un jus de légumes.
- Préparer un sandwich guacamole-filet de bœuf.
- Ajouter des petites portions de fromage.
- Faire des petits gâteaux de type financier ou madeleine faciles à tremper dans le dessert au fromage blanc.

## FROMAGE BLANC AU COULIS DE FRUITS

*1* Mettre le fromage blanc, la crème épaisse et le sucre dans un bol. Mélanger bien en fouettant à l'aide d'une fourchette ou d'un fouet. Il faut que le mélange soit bien lisse et onctueux.

*2* Verser dans un pot et ajouter le coulis que vous aurez préparé.

### coulis rouge

Mettre les fruits rouges dans un mixeur avec le jus de 1 citron. Mixer en coulis et goûter afin de savoir s'il faut rajouter un peu de sucre.

### coulis jaune

Préparer la mangue en la pelant et enlever le noyau central, puis la mixer avec le jus de citron.

### astuces

○ Réaliser un dessert à 3 couches, en mettant dans votre pot une première couche de coulis rouge, puis du fromage blanc battu et, pour terminer, le coulis jaune.

# Made in US

**INGRÉDIENTS**
- 50 g de beurre
- 125 g de sucre blanc ou roux en poudre
- 1 œuf battu
- 50 g de farine + levure
- 175 g de flocons d'avoine
- 170 g de chocolat au lait cassé
  en gros morceaux
- Sel

## pour un repas complet

- Un milk-shake au basilic
[page 27].
- Des tranches de jambon farcies
de carottes râpées.
- Des fruits frais.
- Ajouter des chips de légumes ou de pommes de terre
pas trop salées.
- Prévoir également des petits pains au lait, car on peut
y glisser la tranche de jambon roulé.

# COOKIES AUX FLOCONS D'AVOINE

*1* Mélanger le beurre et le sucre afin d'obtenir une crème.
*2* Ajouter l'œuf battu en mélangeant vigoureusement à l'aide
d'une cuillère en bois.
*3* Incorporer la farine, du sel et les flocons d'avoine puis le chocolat.
*4* Faire des petits tas sur une tôle beurrée.
*5* Aplatir, mais pas trop, avec le dos d'une petite cuillère.
*6* Bien espacer les cookies et les faire cuire au four à 180 °C
de 8 à 10 minutes.

# Un dessert de mamie

PRÉPARATION : 10 MIN. ○ CUISSON : 20 MIN. ○ REPOS : 2 H

## INGRÉDIENTS

- 125 g de farine +1 c. à s. pour le plan de travail
- 70 g de beurre amolli
- 30 g de sucre en poudre
- 2 sachets de sucre vanillé
- 1 œuf extrafrais
- 1 pot de confiture :
  framboises, fraises, griottes, abricots...
- 1 pincée de sel

## TARTELETTE À LA CONFITURE

**1** Verser la farine dans un saladier et creuser un trou, puis y ajouter le beurre, les sucres et le sel.

**2** Mélanger du bout des doigts en utilisant petit à petit toute la farine.

**3** Quand le mélange devient sablé, ajouter l'œuf et bien mélanger pour faire une boule.

**4** Laisser reposer pendant 2 heures au moins au réfrigérateur.

**5** Préchauffer le four à 180 °C.

**6** Verser la cuillerée de farine sur le plan de travail et y déposer la boule.

**7** Aplatir la boule au rouleau à pâtisserie et en garnir des petits moules.

**8** Piquer le fond à l'aide d'une fourchette et faire cuire au four pendant une vingtaine de minutes en surveillant la cuisson.

**9** Laisser refroidir sur une grille puis remplir de confiture.

## pour un repas complet

- Des nems de salade « à la française » (page 69).
  - Des petites portions de fromage.
    - Si les nems de salade vous paraissent trop légers, préparez une grande salade de riz avec des légumes frais, des œufs durs et du thon ou des aiguillettes de poulet.

# un « bec » québécois

PRÉPARATION : 10 MIN. ○ CUISSON : AUCUNE

## ORANGES AU SIROP D'ÉRABLE

**1** Couper la peau des oranges au couteau afin de pouvoir retirer les quartiers.
**2** Les déposer dans un bol et les arroser de sirop d'érable.

**INGRÉDIENTS**
○ 2 oranges
○ 2 ou 3 c. à s. de sirop d'érable

### astuces

○ Rajouter une banane et des kiwis, avec le sirop d'érable c'est délicieux.
○ Utiliser d'autres sirops : sirop d'agave, sirop de riz ou sirop de blé... On les trouve aujourd'hui très facilement dans les magasins bio ou au rayon bio des grandes surfaces. Ils sont riches en vitamines.

### pour un repas complet

Un cake aux deux olives et au jambon : 120 g de farine avec levure, 1 pincée de sel, 60 g de jambon coupé en dés, 60 g de comté, 10 olives vertes, 10 olives noires, 1 bonne pincée de sarriette, 2 œufs et 5 cl d'huile d'olive. Mettre tous les ingrédients secs dans un saladier. Mélanger et faire un puis, ajouter les œufs et l'huile d'olive. Bien mélanger, si c'est trop compact, rajouter un peu de lait. Verser dans un moule à cake et faire cuire au four à 180 °C pendant 1 heure environ.

# Douceur du chef

PRÉPARATION : 10 MIN. ○ CUISSON : 15 MIN.

## INGRÉDIENTS

- 150 g de beurre
- 50 g de farine
- 150 g de sucre glace
- 1 c. à s. d'épices à pain d'épice
- 70 g de poudre d'amandes
- 4 blancs d'œufs
- 2 pommes granny-smith

### astuce

Planter des framboises ou des mûres dans la pâte afin d'obtenir des petits financiers rouge ou noir.

## FINANCIERS AUX POMMES GRANNY-SMITH

1. Préchauffer le four à 200 °C.
2. Mettre le beurre dans une casserole et porter doucement à ébullition. Dès qu'il prend une couleur noisette, stopper la cuisson.
3. Passer au chinois et réserver.
4. Verser la farine, le sucre glace, la poudre à pain d'épice et la poudre d'amandes dans un saladier. Bien mélanger et ajouter les blancs d'œufs tout en remuant vigoureusement. Verser également le beurre.
5. Verser la pâte dans des moules à financiers en les remplissant aux trois quarts.
6. Peler puis couper les pommes en petits cubes.
7. Ajouter les petits cubes sur la pâte en les enfonçant bien.
8. Faire cuire au four pendant 15 minutes environ.
9. Laisser refroidir sur une grille.

*pour un repas complet*

○ Des légumes à tremper dans un mélange
de roquefort et de carré frais Gervais.
○ Une salade de chou cru et pommes d'api
et à la truite fumée (page 55).

# L'index par ingrédient

## L'auteur remercie :

Céline et toute l'équipe de chez Tana.

Isabelle pour son enthousiasme et nos fous rires
pendant les séances photos.

Merci à Pylônes, 13, rue Sainte Croix de la Bretonnerie, 75004 Paris

Merci à Valérie pour sa mini boutique extraordinaire, on adore !
Jus for life, 20, rue Houdon, 75 018 Paris

**Conception graphique :** Marina Delranc
**Coordination éditoriale :** Olivia Le Bert
**Mise en pages :** Zarko Telebak et Célia Cousty
**Photogravure :** Frédéric Bar
**Fabrication :** Thomas Lemaître

© 2009, Tana Editions
ISBN : 978-2-84567-495-0
Dépôt légal : février 2009
Imprimé en Espagne

www.tana.fr